鹿児島大学島嶼研ブックレット

16

TOUSHOKEN BOOKLET

魅惑の島々、奄美群島―農業・水産業編―

山本宗立・高宮広土 編

YAMAMOTO Sota TAKAMIYA Hiroto E

●目次●

魅惑の島々、奄美群島―農業・水産業編―

The Amami Archipelago Rich in Natural and Cultural Resources:
Agriculture and Fishery

Edited by
YAMAMOTO Sota and TAKAMIYA Hiroto

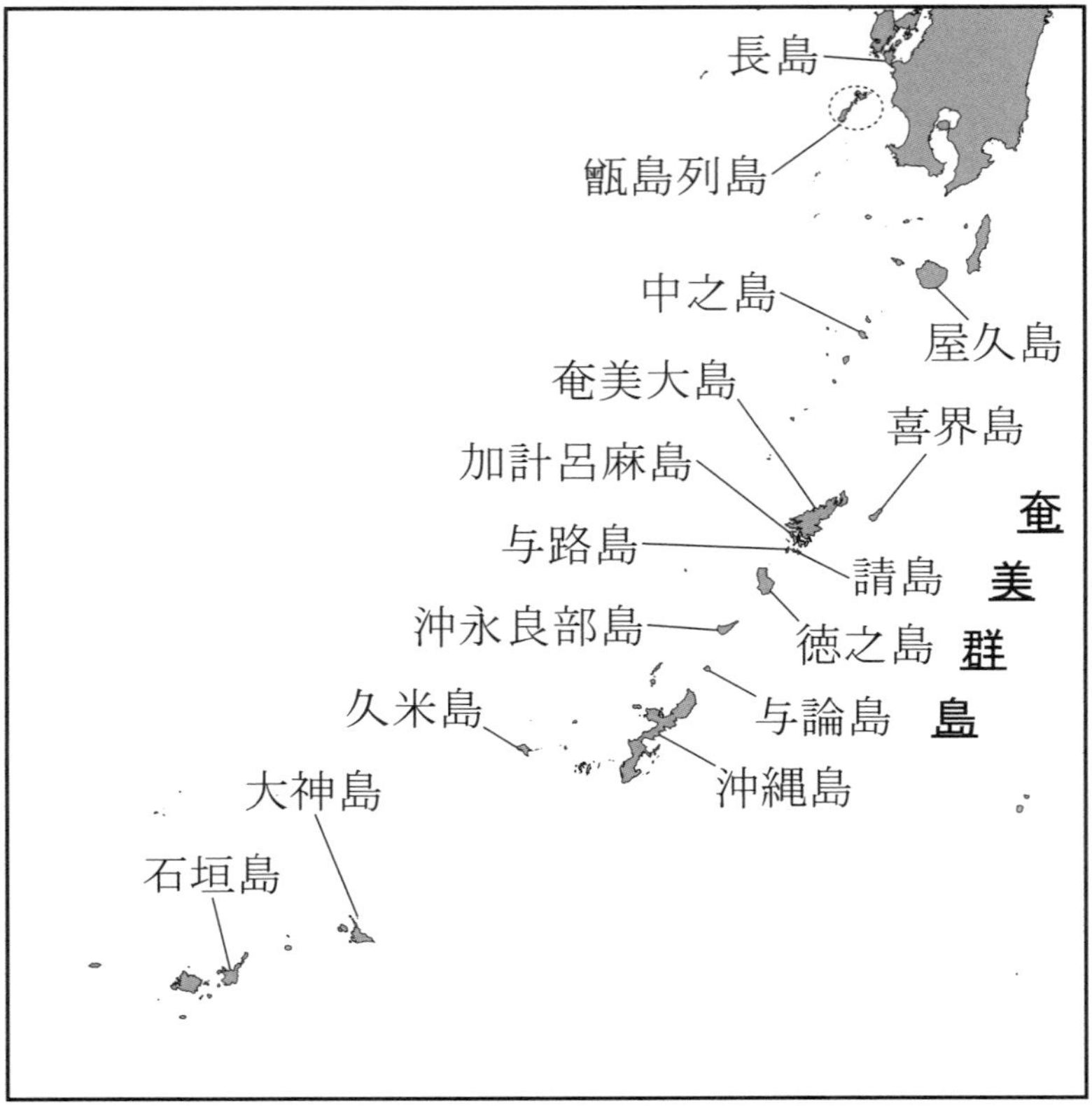

巻頭図　奄美群島の有人島とその位置および本書にでてくる島名（国土交通省国土政策局「国土数値情報（行政区域データ）」をもとに編者が編集・加工）

I　はじめに

「奄美の島には何もない」しばしば奄美の方々がため息をつきながら、このような言葉を口にすることがあります。本当に「奄美は何もない島」なのでしょうか。いや、奄美には素晴らしい歴史、文化、自然、そして産業があります。このような情報を奄美の方々や島外の方々がご存知ない理由の一つは研究者にあると思われます。これもよく地元の方が嘆いたことです。「本土の研究者に協力しても、あの人たちはデータを本土に持って帰るだけで、その内容を教えてくれない」。この問題を解決する一つの手段として、鹿児島大学国際島嶼《とうしょ》教育研究センター（島嶼研）は、二〇一五年四月に教職員が常駐する奄美分室を奄美市に設置し、奄美群島により密着した教育と研究を始めました。

例えば、文部科学省特別経費プロジェクト「薩南諸島の生物多様性とその保全に関する教育研究拠点整備」（鹿児島大学、二〇一六年度～二〇一九年度）では、陸上・海洋生物の詳しい分布調査、生態系の多様性維持機構の解明、人と自然との関係性などを明らかにするための総合的な研究（理系と文系の研究者による共同研究）を奄美群島で実施しました。そして、ここが肝心な点ですが、以前と異なり、私たちの研究成果を地元の方々にできるだけ還元するため、「奄美分室で語りましょう」などの勉強会、奄美群島の先史時代、島唄、産業、生物多様性に関するシンポジウム、陸上・海洋生物の観察会、奄美群島島めぐり講演会などを開催しました。奄美分室開設後はそれ以前と比較すると地元への還元が増えたとはいえ、それでもほんの一部に過ぎませんでした。また、参加してくださった地元の方々も、どちらかというと一部の人たちに限られていました。そこで、奄美群島の方々に私たちの研究成果をより一層還元することを目的として、『南海日日新聞』で連載コラム「魅惑の島々、奄美群島」を企画するにいたりました（二〇二〇年一月～二〇二一年三月）。この連載によって、より多くの方々に島の魅力をお伝えすることができたのではないかと思います。

「魅惑の島々、奄美群島」の連載は、島嶼研の専任教員、兼務教員、客員研究員が執筆を担当し（総勢四九名、六六本掲載）、以下の八つのカテゴリーで構成されていました。「①島嶼文明」、「②歴史・伝統文化」、「③社会・産業経済」、「④自然（陸）」、「⑤自然（海・川）」、「⑥自然（利用）」、「⑦自然（外来種・諸問題）」および「⑧教育の場としての島」です。それらのうちから、奄美群島の「農業・水産業」に関するコラムを集め、再構成したのが本書です。奄美群島の作物・果樹・水産物などの「食」の旅へ、さあ、出かけましょう。

（編者）

Ⅱ　農業

1　奄美群島の農業―特質と課題―

坂井教郎（鹿児島大学農学部）

奄美群島の就業者数に占める農業従事者の割合は一三・五％と、全国の三・四％、鹿児島県の八・四％に比べ、かなり高くなっています（二〇一五年国勢調査）。奄美群島では農業が非常に重要な産業です。今回は、その奄美群島の農業の概要について述べますが、その前に、奄美群島は「島」なので、まず島の農業の特質をみていきたいと思います。

島は一般に、本土から離れ、海に囲まれ、そして小さいという特徴があります。そうした島の農業には一般に次の①～④のような特質があります。

①輸送面の不利性です。島は小さいので島内市場は限られ、本土へ農産物を出荷・販売することになります。その際、海に囲まれているので、船や飛行機による輸送が必要です。そのため

費用がかかり、運ぶ頻度に制約があり、時間も長くなります。

②生産コストが高くなりやすいことです。多くの島で土地は狭く、本土の平野のような大規模機械化農業は難しいです。また肥料などの資材についても島外から買う場合は割高になります。

③水田は少なく、畑が多いことです。島は小さく、大きな河川がないため、水を多量に必要とする水田農業は難しい場合が多いです。

④特定の少ない品目に特化する傾向があります。ある品目が農業として成り立つには、技術的に栽培・飼育可能であるとともに、それが売れなければなりません。売れるかどうかは他の産地との競争で決まる部分もあり、上記のような不利な特質がある中で、売れる品目は限られます。

以上は、島の農業の特質です。奄美群島を含めた南西諸島の農業では、さらに、⑤夏季の台風や厳しい干ばつがある反面、本土と比べて温暖という有利な気象条件が加わります。

こうした特質を踏まえて、奄美群島の農業の品目構成を具体的にみていきましょう。表1は奄美群島の主要な品目の栽培面積と産出額を示しています。栽培面積で最も大きいのはさとうきびであり、全体の半分以上を占めます。次が全体の約二割を占める野菜です。この野菜の中で八割近くが馬鈴薯（じゃがいも）です。次が牛の餌となる飼料作物です。これも全体の約二割です。つまり奄美群島の農業は、面積でみると、さとうきび、馬鈴薯、飼料作物の三品目で約九割を占めています。上記特質④のように、少数の品目に特化する傾向は、奄美でも例外ではないのです。ちなみに、全国で耕地面積の半分以上を占める水田は、奄美群島においては〇・五%ほどしかなく、これも島の農業の特質③のとおりです。

一方、産出額でみると、やや様相が異なります。肉用牛がトップで全体の三三%、さとうきびは二七%、野菜二三%、花き一〇%、果樹五%です。野菜は、先に述べたように馬鈴薯が主で、花きは菊やソリダコ、果樹はマンゴー、タンカンが多くを占めます。面積に比べて産出額の割合が高い花きや果樹は、面積当たりの産出額（≒単価）が高い品目ということを意味します。

次に各品目を個別にみていきましょう。さとうきびについては夏季の台風や干ばつに強いという性質とともに、国の政策で支えられたやや特殊な作物です。この点については

表 1　奄美群島の農業の概要（2017 年度）

	面積		産出額	
	ha	構成比	百万円	構成比
さとうきび	8,448	55.3	8,556	26.7
野菜	2,935	19.2	7,324	22.9
ばれいしょ	2,295	15.0	5,334	16.7
花き	203	1.3	3,290	10.3
きく	73	0.5	1,117	3.5
ソリダコ・ソリダスター	35	0.2	1,054	3.3
グラジオラス	53	0.3	421	1.3
ゆり	33	0.2	545	1.7
果樹	587	3.8	1,441	4.5
たんかん	315	2.1	431	1.3
マンゴー	50	0.3	584	1.8
パッションフルーツ	19	0.1	204	0.6
飼料作物	2,888	18.9	—	—
肉用牛	—	—	10,574	33.0
その他	210	1.4	829	2.6
合計	15,271	100.0	32,014	100.0

「4　さとうきびと馬鈴薯」で述べたいと思います。馬鈴薯、肉用牛、花き、果樹は、奄美の温暖な気候をいかすことによって定着している品目です。具体的には、馬鈴薯、花き、果樹は他の産地が出荷できない時期（端境期）に出荷することにより輸送面の不利性を回避しています。また、肉用牛は牛の餌である飼料の生育が早いこと、花きや果樹の多くは加温を必要とせず、低コスト生産が可能であることに優位性があります。

このように、現在の奄美群島の農業の品目は、⑤の奄美群島の気候条件をいかして、島の農業の①輸送面や②高コストという不利性を克服することによって定着しています。そしてこれらの品目は、長年にわたる農家と関係者の労苦の結晶でもあるのです。

しかし、それは不変なものではありません。市場条件は絶えず変化し、生産・保存・輸送に関する技術は日々進歩します。奄美群島の農業の競争環境は今後も変化していくでしょう。そうした中で、端境期出荷やコスト競争だけでは、市場や技術の変化にうまく対応できなかったり、消耗してしまったりする可能性があります。そのため、従来の取り組みに加え、奄美群島の農産物の価値をより高める方策も進めていく必要があるでしょう。

2　根栽農耕文化

山本宗立（鹿児島大学国際島嶼教育研究センター）

しまバスに乗って奄美空港から名瀬へ向かっている途中、「ある植物」が家の敷地に植えられているのを見つけました。ミクロネシアへよく行く私にとって、とても馴染《なじ》み深い植物「パンノキ」です（写真1）。まさか奄美大島で栽培されているとは思わなかったため、初めは見間違えだと決め込みました。しかし、心のどこかに「ひょっとしたら」という思いがあったため、しまバスで通るたびに注意深く観察したところ、パンノキだと確信しました。その後、奄美市内の園芸店でパンノキの苗木が販売されているのも確認しました。熱帯・亜熱帯地域（特に東南アジアからオセアニア）で主に利用されるパンノキは、クワ科の常緑高木で、「根栽農耕文化」の構成作物です。

「根栽農耕文化」とは中尾佐助氏が『栽培植物と農耕の起源』（一九六六年）で提唱した四つの農耕文化複合の一つです。すなわち、アフリカでは「サバンナ農耕文化」（シコクビエ、ササゲ、ヒョウタン、ゴマなど）、地中海地域では「地中海農耕文化」（オオムギ、コムギ、エンドウ、テンサイなど）、中南米では「新大陸農耕文化」（トウモロコシ、ジャガイモ、カボチャ類、インゲンマメなど）、そして東南アジア・オセアニアでは「根栽農耕文化」が、独立的に起源し展開したというものです。

根栽農耕文化の特徴は、①主要構成作物であるバナナ、サトイモ科植物（サトイモなど）、ヤマノイモ属植物（ダイジョなど）、サトウキビを中心に、パンノキ、タコノキ属植物（アダンの仲間）、ヤシ科植物（ココヤシ、サゴヤシなど）の栽培・利用がみられる、②無種子農業、③マメ類と油料作物の欠落、④掘り棒の農業、などがあげられます。

根栽農耕文化の視点から奄美群島の作物(植物)をみてみましょう。まず、水田のように水を張った場所で栽培されるサトイモ、つまりタイモ（ミズイモ）が挙げられるでしょう。奄美群島ではターマン、ターニウム、ウムなどと呼ばれています。煮てそのまま食べるだけではなく、餅にしたりもします。次に、奄美群島ではコウシャマン、コーシャなどと呼ばれるダイジョも栽培・利用されています（次項「3　コウシャマンの可能性」を参照）。そしてアダンです。皆さまはアダンを食べたことはあるでしょうか？　ミクロネシアでは熟した果実を果物として食べます。ただし、口の中がイガイガとかゆくなり、食用に向かない種類もミクロネシアにはあります。私は奄美大島で熟して落ちた果実を何度かしがんだことがあります。若干の甘味と独特の香りがあり、かゆくはなりませんでした。

奄美群島では八～一二世紀に狩猟（漁撈《ぎょろう》）採集から穀類を中心とした農耕への変遷があったと現在考えられています。しかし、八世紀まで狩猟（漁撈）採集のみの暮らしだったのでしょうか？　一説ではサトイモの日本への伝播はイネが渡来する以前だったとされています。サトイモ

写真１　パンノキの果実（ミクロネシア連邦ポンペイ州ピンゲラップ島）

写真２　茹で蒸しにしたパンノキの果実（ミクロネシア連邦チューク州ピス島）

を含むイモ類のデンプン源としての栽培・利用が、八世紀以前の奄美群島には本当になかったのでしょうか？

もしかしたら奄美群島の文化の基層には根栽農耕文化があるのではないでしょうか？　ずいぶんと論理が飛躍してしまいましたが、穀類と同様にイモ類が比較的新しい導入作物だった可能性も否めません。奄美群島におけるサトイモやダイジョの栽培・利用の開始時期については、考古学や歴史学の今後の研究の進展に期待したいと思います。

さて、パンノキに話を戻しましょう。奄美群島の三二の小（中）学校に生育する植物を調査した鹿児島大学教育学部の川西基博氏によると、奄美大島の名瀬小学校、奄美小学校、大和小中学校、古仁屋小学校の校庭にパンノキが植えられているそうです。そして果実がなるらしい！ただ、食べるという話は聞かなかったようです。

パンノキの果実はとてもおいしいです。果実をそのまま直火焼きにして、皮をむいて中身を食べるのもよし。皮をむいてから六～八等分程度のくし型に切り、それぞれの中心部分を取り除いてから茹《ゆ》で蒸しにするのもよし（写真2）。果肉はホクホクとした、ときにはねっとりとした食感で、ほんのり甘く、その味や香りはサツマイモとクリとの中間くらいです。

奄美大島では果実がうまく成熟しない可能性もありますが、仮に成熟した果実があれば、小中学生と一緒に食べてみたいな、というちょっとした願望があります。ミクロネシアではいつも島民の方々が成熟した果実を採ってきてくれるので、私自身は成熟果かどうかを判断できませんが、もしそれでもよければ、パンノキの果実がなったときにはご一報ください。

3　コウシャマンの可能性

遠城道雄（鹿児島大学農学部）

山で栽培されるのが〝やまいも〟、人里近くで栽培されるのが〝さといも〟とよく言われます。しかし、物事はそれほど単純ではありません。確かに日本で栽培されるヤムイモ（ヤマノイモ科ヤマノイモ属植物の総称とします）の一つ温帯産のジネンジョは山の中で育つことがほとんどです。これは、ツル（茎）を延ばしていくことができる支柱の役割を果たす木々が存在するからです。平坦な畑でも人間が支柱を立てれば、十分に育つのです。

奄美群島で栽培されるヤムイモは温帯産のジネンジョではなく、東南アジアを原産とする熱帯産のダイジョというヤムイモです。ダイジョは学問上の呼び方で、奄美群島ではいくつかの呼び

写真３　奄美大島から収集した紫色のコウシャマン。抗菌作用が確認されている

名がありますが、コウシャマンでおおむね通用するようです。実はこのコウシャマンは、世界中の熱帯・亜熱帯で最も広く栽培されているヤムイモであり、それが奄美群島でも栽培されていることは、それだけで大きな自慢になります。もう一つの自慢は、奄美群島で栽培されるコウシャマンには紫色のイモがあることです（写真３）。しかも種類がたくさんあります。

　コウシャマンは、雌花と雄花が別の株、つまり、雌花と雄花は分かれて別々の個体にどちらか一方だけが咲きます。しかも、めったに花が着きません。仮にある株に雌花が咲いたとしても、近くの別の株に雄花がほぼ同じ時に咲き、運よく虫たちが飛んできて、雄花の花粉をつけて、雌花に飛んでいかないと受粉ができません。交雑が少ないのに、なぜ多くの種類が存在しているのかはまだ謎です。確実ではありませんが、イモから芽が出てくる時に変化しているのではないかと推定されています。

　コウシャマン、とくに紫のコウシャマンは、奄美群島において、旧正月を祝う飾りとして利用されてきました。このことが、この地方でのコウシャマンの多様性を支えてきたと考えられます。そうでなければ、はるか昔に絶滅していたはずです。これは、慣習と文化が一体となって、一つの作物が保存されてきた非常に良い実例です。

私は三〇年にわたり、東南アジアや太平洋島嶼のコウシャマンの研究に携わってきました。二〇年ぐらい前から、鹿児島から南西諸島のコウシャマンもその材料に加えて、近年はイモの特性について解析を行っています。コウシャマンは鹿児島県本土でも栽培されていますが、奄美群島と県本土のコウシャマンの性質を調べてみたところ、同じコウシャマンであっても、粘りや抗酸化物質の量などが大きく異なることがわかってきました。大胆な予想をお許し願えれば、奄美独自の進化を遂げていると言っても過言ではありません。さらに、奄美群島で見つけた紫色が濃いコウシャマンの中には抗菌作用の存在も明らかにされています。

日本人にとってヤムイモの一番のポイントは書くまでもなく「粘り」です。日本人は、世界で唯一、ヤムイモを生で食べる民族であり、その代表が「とろろ」です。欧米の研究者とこの話をすると、全員が、「アンビリーバブル」（信じられない）と目を丸くします。さらに紫色があるというと、跳び上がらんばかりに驚かれます。鹿児島の銘菓の一つ「かるかん」はヤムイモ（主にジネンジョ）と米粉、砂糖で作られますが、紫のかるかんも店頭に並んでいます。しかし、紫のかるかんの紫色はサツマイモが使われていることが多いです。これは残念なことで、ぜひ、この紫コウシャマンを使っていただきたいと思っています。

これまで、奄美の人々が大切に育んでこられたコウシャマンですので、今後は、ぜひ、利用という点を考えていきたいと思います。コウシャマンは比較的、台風などにも強く、今のところ、日本では病害虫もほとんどいないので、減農薬での栽培も可能です。しかも、熱帯産なので、温暖化にも対応しています。多様な性質を持つということは、食材としての利用の可能性が広がるということでもあります。とろろ以外に、菓子類の原料や天然色素などの利用も考えられます。私の一番のお勧めは白いコウシャマンの鍋です。皮をむいて角切りにしてください。ぜひ、奄美の皆さんで新たなコウシャマンの利用方法を開拓していただきたいと思っています。

4　さとうきびと馬鈴薯

坂井教郎（鹿児島大学農学部）

さとうきびは奄美群島の農業において面積で半分以上、産出額でも約三割を占めます。しかしその地位は低下しています。過去三〇年間で、さとうきびの面積は三割程度減少し、その代わりに牛の餌となる飼料作物や馬鈴薯（じゃがいも）が増加しました。現在でもさとうきびは奄美群島の農業の主役の一つですが、唯一の主役というわけではありません。今回はそのような中での奄美群島におけるさとうきびの役割について考えていきたいと思います。

「1　奄美群島の農業―特質と課題―」で述べたように、奄美群島は島なので、本土と比べて農業を行う上で条件が不利な面があります。そうした中で、さとうきび農家や島の製糖工場には交付金と呼ばれる国からの支援があり、そのおかげで島の農家が農業で生活をしていける側面があります。

しかし、さとうきびは土地面積当たりの収益性が低い作物です。国がさとうきび農家にもっと交付金を多く支払えば農家の所得は増えるのに、なぜそのようなことにならないのでしょうか。もちろん財源の問題もありますが、次のような理由もあります。

農業を行う際に、農家の間で農地を借りる競争があるならば、理屈の上では地代（借地料）を多く払える（＝収益性が高い）作物を栽培する農家から、より条件のよい農地を借りていくことになります。もしさとうきびの収益性が他の作物よりも高いなら、さとうきびが他の作物を押しのけて農地を使ってしまうことになります。国の支援がある作物でそのようなことが起こると困るので、さとうきび農家への交付金の額は抑えられ、その面積当たりの収益性は低いのです。

そのため、さとうきびの面積は他の作目の調子の良し悪しによって増減することになります。島内の農地面積を一定とすれば、例えば現在のように子牛の値段が高い時には、牛農家は農地を借りるために多くの地代を払えるので、牛の餌となる飼料作物の面積が増え、高い地代を払えないさとうきびの面積は減ります。逆にさとうきび以外の作目が不調の時は、さとうきびの面積が増加します。さとうきびが以前に比べて減っているのは、他の作目が振興・拡大したことの裏返しでもあります。

減っているとはいえ、現在でもさとうきびが奄美群島の農地の多くを占めていることは、それに代わる作物が他に存在しないことを意味します。もしさとうきびがなければ、現在の農地のかなりの部分は、農地として維持することが困難となるでしょう。さとうきびには農地を維持する役割もあるのです。

馬鈴薯は、国内では北海道で約八割が作られますが、奄美群島の沖永良部島と徳之島でも多く作られています（写真４）。奄美群島の馬鈴薯は北海道や本土の産地が寒くて栽培できない二～四月にかけて収穫し、「新じゃが」として本土に出荷します。しかし奄美群島は島なので、北海道のような広大な土地で栽培できるわけではありません。馬鈴薯の安定した需要に応えるために、小さな産地が短い期間で交代しながら馬鈴薯を栽培・出荷する形になっています。これはリレー出荷と呼ばれます。奄美群島の馬鈴薯の収穫が四月に終わると、五月初旬までは鹿児島県北部の長島に産地が移動し、その次は長崎県の島原半島で出荷が始まります。

これらの馬鈴薯産地に共通するのは、栽培する土壌が赤土であることです。赤土は一般には農作業がしにくく、肥沃とは言い難い土壌ですが、赤土で育った馬鈴薯は黒土の馬鈴薯に比べて見た目も美しく、高い単価で取引されます。馬鈴薯は、奄美群島の土壌や気候の特性が輸送の不利性を上回る、奄美群島に適した作物なのです。

写真４　沖永良部島の伊村農園で収穫される馬鈴薯

ただし課題もあります。馬鈴薯に限ったことではありませんが、少子高齢化による需要の減少や他産地との競争の結果、価格が低下する可能性があります。そうした中で、馬鈴薯の価格を高める取り組みが求められています。

その一つはＰＲの方法です。小さな島毎にＰＲをするのではなく、奄美群島全体、あるいは長島や長崎県も含めた暖地の赤土馬鈴薯の大きなブランドを作っていくことも必要でしょう。また、新じゃがは皮が剥けやすいので機械収穫が難しく、その多くが人手で収穫されています。収穫労働力をいかに確保していくかは大きな課題ではありますが、逆にその「手掘り」をＰＲし、付加価値を高めていくこともできるのではないかと考えています。

5　作物遺伝資源の独自性

一谷勝之（鹿児島大学農学部）

私は植物育種学を専攻しています。「育種」とは簡単に言えば品種改良のことです。品種改良の基になるのが、表題に挙げた遺伝資源です。究極的には遺伝子を持つあらゆる生物が遺伝資源になりますが、本項に関連すれば、在来品種といって、それぞれの地域で昔から栽培されている作物品種や、近縁野生種といって、作物に遺伝的に、または分類学的に近い野生植物が挙げられます。

イネを例にとると、現在では主に国や県の研究機関が品種改良を行っており、県の研究機関が試験してそれぞれの地域に合った品種を奨励品種と選定しています。そのため、各県で栽培される品種数は限られています。明治時代になってから組織的な品種改良、普及が行われるようになりましたが、それまでは地域の篤農家が品種改良の担い手でした。そして、今よりも多くの品種が各地で栽培されていました。それらは、それぞれの地域の稲作の歴史を反映していたといえるでしょう。

イネの在来品種を用いた研究に雑種弱勢遺伝子の研究があります。イネ品種そのものは健全に育っても、ある特別な品種と掛け合わせて得られた雑種の生育が著しく劣ることがあり、これを雑種弱勢と呼んでいます。この現象は、ある特別な品種が持つ特別な遺伝子（弱勢遺伝子A）と、もう一方の品種がもつ遺伝子（弱勢遺伝子B）の組合せによって起こります（写真５）。一九六〇年代の研究では日本品種のほとんどが弱勢遺伝子Bをもつ（ただし、Bだけ持っていても弱勢は生じず、健全に育つ）とされていましたが、一九八〇年代の日本の在来品種を用いた研究で、奄美群島や沖縄県の在来品種は、弱勢遺伝子Bをもたない品種の割合が高いことが報告されました。

この内容は佐藤洋一郎氏の書かれた一般向け書物『稲のきた道』（一九九二年）に詳しく書かれ

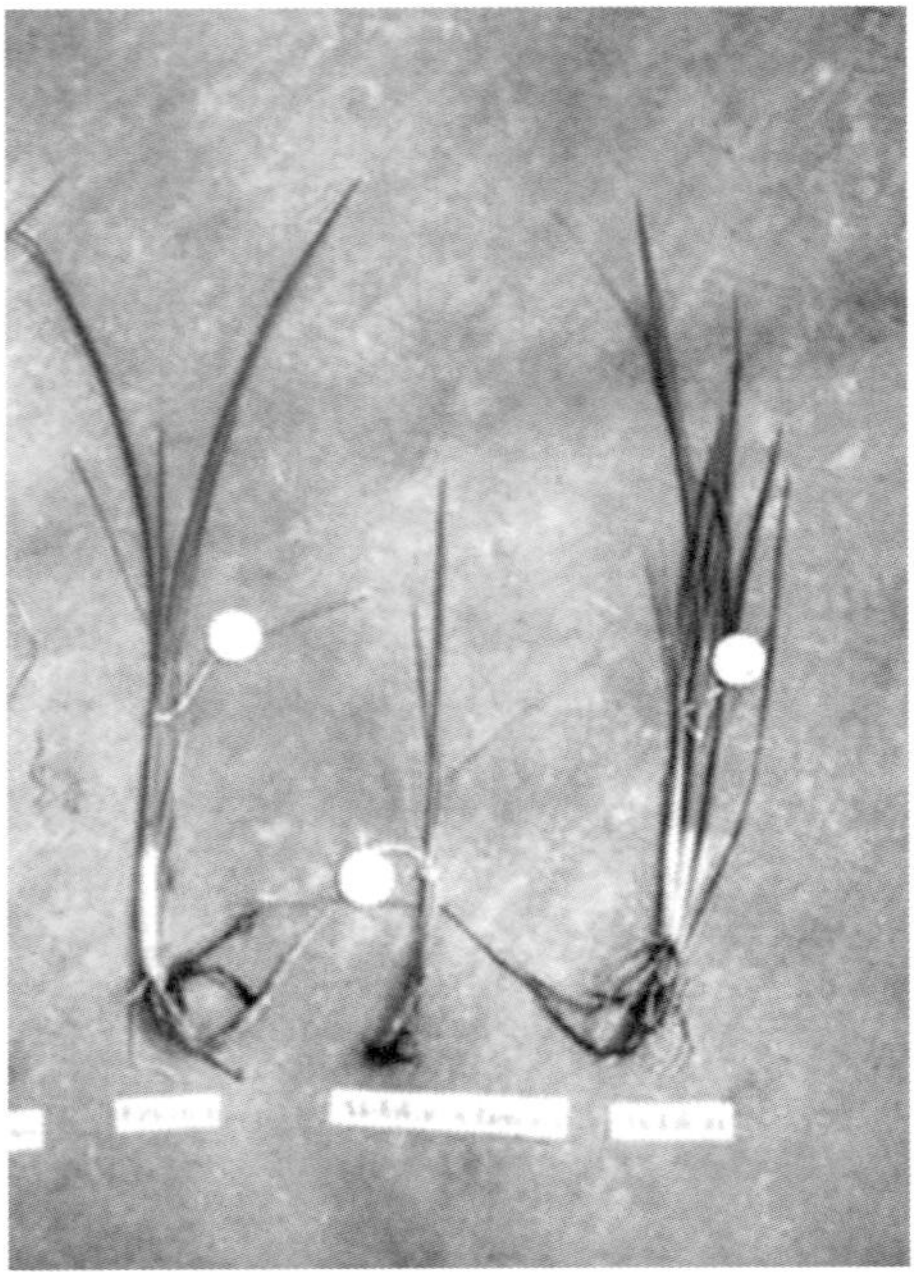

写真5　ペルー品種 Jamaica（左の苗）は弱勢遺伝子Aを持ち、日本品種アキヒカリ（右の苗）は弱勢遺伝子Bを持つ。両者の雑種（真ん中の苗）はA、B遺伝子を合わせ持つので、生育が著しく悪くなる

ており、台湾、中国南部、東南アジアにも弱勢遺伝子Bをもたない在来品種が多く分布していることから、奄美群島や沖縄県の在来品種は日本へのイネの伝来の新たな「南からのルート」を提示するきっかけとなっています。私は、大学院生のときに『稲のきた道』を読み、当時は別の研究をしていましたが、鹿児島大学に就職してから弱勢遺伝子の謎をいくつか解くことができました。

同じような研究が雑穀の一種であるアワでも行われており、他の地域では稀な遺伝子の頻度が南西諸島、台湾、フィリピンといった島嶼地域では高いことが報告されています。

このように、南西諸島には、独自の在来品種が分布しています（いました）。生物多様性という表現を用いる場合、多くは種《しゅ》の多様性に重点が置かれ、稀少生物種が注目されがちです。しかし、イネ、アワという種の中にも他の遺伝的多様性があり、これも同様に生物多様性として重要です。品種改良の場面では、「遺伝的侵食」といって、品種改良によって優良な品種が開発され普及することで、品種改良の土台となった昔から栽培されていた在来品種が失われることが危惧されています。それへの対策として国の研究機関であるジーンバンク（gene bank 遺伝子銀行）は遺伝資源の保存を専門に行い、種子を保存する設備を備えています。

しかし、在来品種が元々ある場所で栽培して保存するのが専門的には望ましく、ジーンバンクの「生息域外保存」に対して「生息域内保存」と呼んでいます。鹿児島県の在来品種と言えば桜島大根が有名ですが、実は奄美群島を含む鹿児島県の各地域に大根の在来品種があります。私は、以前、与論島の島大根を調査したことがあります。葉や根の色・形が多様で、遺伝子の本体であるＤＮＡを調べると、農家間でも大きく異なっていたことに驚いたことがあります。在来品種の維持が大変なことは承知していますが、生物多様性のために、将来の品種改良のために、文化伝承のために、または地域おこしのために、在来品種を残していただければ幸いです。

6　溜池の知恵

西村　知（鹿児島大学法文学部）

フィリピンでは溜池などの小規模灌漑が農業生産の拡大、農民の所得増大において大規模灌漑を補うものとして注目されています。政府は、国家予算、外国、国際機関の援助を利用してＳＷＩＰ（小規模貯水池プロジェクト）と呼ばれるプロジェクトをマルコス政権下の一九八〇年代より進めています（写真６）。この事業は、費用が抑えられるだけではなく、地域の生態系への影響が少ないなど多くのメリットがありますが、運用面での問題が障害となり順調に展開しているとはいえません。

一方、日本は溜池灌漑の長い歴史を持ちます。仏教僧である奈良時代の行基、平安時代の空海が、溜池の築造や補修を行ったという話が各地に多く残されています。特に離島では、水問題は、現在では、地下ダムの建設によって軽減されていますが、かつては深刻でした。農業生産拡大、生活用水確保において、溜池の重要性は特に高かったのです。沖永良部島もその一つです。島民は、溜池を農業、生活に工夫しながら利用してきました。沖永良部島などの国内離島の溜池利用の経験をフィリピンのＳＷＩＰ運用に応用し、溜池の効果的な運用システムを確立することができれば、生態系、人々の暮らし、集落の社会の持続性を可能とするＳＷＩＰのモデルができあがります。

私は、長年の沖永良部島とフィリピンの溜池利用についての比較調査によって以下のことを明らかにしました。第一に、両事例ともに溜池は、国家の政策として増設された事実です。このような性格上、溜池の建設や管理は住民と藩や政府の共同作業となります。国が地域の特徴をしっかりと理解したうえでプロジェクトを展開する必要があります。沖永良部島の場合は、溜池の運用において集落がより自主的でしたが、フィリピンの場合は国が水利組合を組織化させることによって住民、地域を間接的に管理する形を取っています。第二に一九七〇年代までの沖永良部島と現在のフィリピンの環境の違いが明らかになりました。沖永良部島では、集落が一つのコミュニティとして強固な結束を築いていましたが、フィリピンの場合には組合

写真６　フィリピンの小規模貯水池プロジェクト

員の差異が大きく、共同性を構築するのが困難なケースが多いことがわかりました。差異を決める要因は、集落の土地所有制度、住民の所得源泉などです。溜池の土地を地主が所有するか否か、住民の農業による所得への依存度などの要因で水利組合員の共同性の強度は異なります。政府は、その地域にあった支援を行っていく必要があります。第三は、沖永良部島での溜池の利用において、集落の住民が、効果的な水利管理システムを確立してきたことです。沖永良部島の溜池の取水や水の配分の知恵は現在のフィリピンにも適用可能であると考えられます。例えば、汲み上げた水の配分方法には、集落での争いが起きないように様々な工夫が施されていました。各溜池にはオイタマと呼ばれる小さな堰（配分堰）が設置されていました。農業用水は、流水口（イビ）を通過して水田に引水されますが、水の量を均等に調整するための工夫が施されていました。水田を利用する人数に合わせて、配分堰（オイタマ）が作られました。溜池から離れた裾田（チビダー）まで溜池の水を流さなければならない場合には、第二、第三のオイタマが設置されました。溜池の水が経由する田は、溝田（ニジュマシ）と呼ばれました。溝田は下々の裾田の水量を確保する義務がありました。溝田の所有者は水田に細竹を立て、水準標（ミンダイ）を作り、水準標を常に監視していました。希少な水資源が住民により平等に配分されるシステムが構築されていました。溜池などの小規模灌漑は、国家予算の限られた国で生態系を守りながら農業生産、農民の所得を高めるための非常に効果的な手段ではありますが、多様な地域に適用するための運用面での技術は発展途上です。空間、時代を超えて小規模灌漑運用の知恵・技術を交流させ、新しい運用システムを形成することが重要でしょう。特に離島の住民が培った知恵・技術は大いに注目すべきだと思います。

7 奄美のカンキツ―タンカンと「津之輝」―

山本雅史（鹿児島大学農学部）

果樹は同じ樹で何年も生産するため、その栽培に当たっては一年中の気候が影響します。温帯や亜熱帯のように四季がある地域では、冬の低温や夏の高温に適したものでないと安定した果実生産ができないだけでなく、樹体が枯死します。そのため、果樹栽培は環境の影響を非常に強く受けます。奄美群島ではリンゴ、ナシ、カキなどの落葉果樹に必要な冬の低温が不足するのでこれらを栽培することは不可能です。また、マンゴスチンやドリアンのような熱帯に適した果実の生産も困難です。したがって、奄美群島では亜熱帯性気候に適した果樹の栽培が中心となります。

カンキツ類は主に北緯四〇度から南緯四〇度の温帯、亜熱帯および熱帯地域で栽培されますが、世界的には亜熱帯果樹に分類されます。統計上、世界および日本で最も生産量の多い果樹です。日本ではウンシュウミカンの生産量が突出して多いですが、高品質果実の生産には秋の適度な低温が必要なため、奄美群島では良品が生産できません。奄美群島で最も生産されているものはタンカンです。

タンカンは中国の広東省が原産地で、中国では「蕉柑」または「桶柑」と記します。ポンカンとスイートオレンジとの雑種とされていることがありますが、これはあり得ません。植物には両親から遺伝する核DNA、母親からのみ遺伝する葉緑体およびミトコンドリアDNAが存在します。この葉緑体およびミトコンドリアDNAがタンカン、ポンカン、スイートオレンジでそれぞれ異なるので、ポンカンとスイートオレンジからタンカンが発生することはありません。形態的特性やDNA分析から、何らかのマンダリン（ミカン）とスイートオレンジとの雑種と考えるのが適切です。

タンカンは一九世紀末に台湾から鹿児島に持ち込まれましたが、栽培が始まったのは昭和に入ってからで、現在の主要品種の「垂水一号」は一九六四年に台湾から導入されました（写真7）。タンカンは冬季にそれほど低温にならない亜熱帯に適したカンキツで、日本の栽培面積の約八〇％を鹿児島県が占めます。奄美群島は鹿児島県の栽培面積の約半分を占め、屋久島と並ぶ主要産地です。気候環境から現在は奄美群島の特産果実として重要な位置を占めていますが、今後、地球温暖化が進むと、奄美群島や屋久島よりも寒い地域でも高品質の果実生産が可能になるとの研究もあります。

　タンカンでは主要品種が「垂水一号」のみで、収穫や販売が集中することが問題でしたが、その解消の可能性が見えてきました。二〇一九年一一月に早生タンカン品種「平井Ｒｅｄ」が品種登録されました。本品種は果皮の着色や果汁の減酸が早く、「垂水一号」よりも早く収穫・販売することができます。「平井Ｒｅｄ」の誕生により、一月からタンカンを楽しむことが可能となりました。

写真７　「垂水１号」の結実状況

　タンカン以外に近年、奄美群島で注目されている品種が「津之輝《つのかがやき》」です。農研機構果樹研究所で交雑育種によって開発されました。親の「アンコール」に似て芳香があり、甘みが強く食味の良い品種です。機能性成分のβ‐クリプトキサンチン（カロテノイド色素）含量も多いです。全国的には長崎、佐賀、宮崎での生産が盛んです。本土で露地栽培すると一月から二月に成熟します。一方、開花の早い奄美群島では一二月に高品質の果実を収穫することができます。

「津之輝」、「平井Ｒｅｄ」、「垂水一号」の栽培を組み合わせることで、一二月から二月にかけて高品質カンキツの収穫が可能となり、奄美群島におけるカンキツ産業が発達していくことが期待されます。

8　奄美のカンキツ—在来種の特性と価値—

山本雅史（鹿児島大学農学部）

前項で紹介したタンカンと「津之輝」は、経済栽培品種として奄美群島に持ち込まれたカンキツです。本項は、古くから島々で栽培されてきた主要在来カンキツを紹介します。

カンキツはインドのアッサムから中国の雲南にかけての地域で発生し、その後世界中に広がりました。日本では九州、四国および本州にタチバナが、奄美群島を含む南西諸島にシィクワーサーが自生しました。徳之島のシークニンおよびヤマクニン、沖永良部島のシークリブ、与論島のキンカンがシィクワーサーです。果実に機能性成分ポリメトキシフラボノイドを多く含みます。奄美群島では沖縄県に比べてシィクワーサーの利用は遅れていますが、徳之島では飲料水やドレッシングなど、さまざまな加工品が開発されています。

有史以降、交易などによってクネンボ、ダイダイ、ブンタンなど海外のカンキツが伝播しました。クネンボはトークニンやトークネブとも呼ばれ、果実に特有の香りを備え、奄美群島では人気が高いです。

その後、導入種と自生のシィクワーサーが自然に交雑して、各種のカンキツが誕生しました。その中で代表的なものがクネンボとシィクワーサーとの雑種と考えられるカーブチーです。トカラ列島の中之島から沖縄県まで分布しており、奄美大島で喜界ミカン（キャーミカン）、喜界島でクリハー、徳之島でナツクニン、沖永良部島でカボチャ、与論島でイラブオートーと呼ばれます。カーブチーは沖縄県での呼称です。果実は小さめで種子もありますが、秋から食べられ味も良いので、以前は人気があり、喜界島では今でも多数栽培されています。ポリメトキシフラボノイドが果実に多く含まれています。

クネンボと喜界ミカンを親として誕生したとされるのがケラジミカンです(写真8)。「ケラジ」は喜界島の地名の花良治《けらじ》に由来します。一八世紀末に花良治集落で発見されました。独特の香りが大きな特徴で、果皮がまだ緑色の秋に酸味が弱くなり、早い時期から食べることができます。種子もほとんどなく、商品性は高いです。喜界島ではケラジミカン生産に熱心に取り組み、独特の香りを利用したさまざまな加工品も販売されています。

シィクワーサーとダイダイの雑種と考えられるのが、喜界島のシークー、奄美大島のクサ、徳之島のトゥヌゲクニンで、共通の一般名はありません。奄美群島北部以外では見つかっていません。独特の芳香を備えることが特徴で、その香りはアールグレイ紅茶の香りづけやアロマテラピーに利用されるイタリアの特産カンキツであるベルガモットに酷似しています。香気成分分析の結果、両者の成分はとても良く似ていることが判明しました。現在、この香りを利用した製品の開発が進められています。鹿児島県は茶の大産地なので、茶と組み合わせたフレーバーティーの販売も開始されました。

シークー同様、ロクガツミカンもシィクワーサーとダイダイとの雑種由来のようです。これは奄美群島に広く分布しており、各島で名前が異なります。喜界島ではフスー、沖永良部島ではトゥンゲ、フスークリブ、与論島ではイシカタと呼びます。果頂部（ヘタのない方）が盛り上がった

写真８　ケラジミカンの果実

ようになっており、果梗部（ヘタ）に「座」（ヘタの肥大）があることが大きな特徴です。果汁の酸味は強く、食味はそれほどでもありませんが、厚い果皮を利用した加工品が販売されています。マーマレードにも適します。

在来カンキツは減少の一途にありますが、先人が栽培を続けてきた島の宝であり、文化でもあります。在来カンキツのない島を想像できるでしょうか。さらに、これらカンキツには種々の機能性成分が含有されていることがわかってきました。鹿児島大学では各分野の研究者が共同して、在来カンキツの有効利用に関する研究にも着手しました。これらの成果を現地に還元して、在来カンキツの価値を高めることができればと考えています。

9　天敵糸状菌で島ミカンを守る

津田勝男（鹿児島大学農学部）

奄美群島ではゴマダラカミキリ幼虫によるミカンの木の食害が問題になっており、特に喜界島では二〇〇八年頃から被害が目立ち始め、毎年一割ずつミカンの木が枯れていくという事態に直面しました。

そこで、喜界町と鹿児島大学農学部害虫学研究室との共同研究で二〇一二年から天敵糸状菌製剤による防除試験を大朝戸《おおあさと》地区と西目《にしめ》地区で実施しました。この天敵糸状菌製剤は「バイオリサ・カミキリ・スリム」という商品名で出光アグリ株式会社が販売しています（以下、バイオリサ）。バイオリサはゴマダラカミキリに対して強い病原性を有する糸状菌（カビ）の一種を紙パルプ製のシートに培養し、このシートをミカンの木に巻き付けて施用します。ゴマダラカミキリの成虫がこのシートの上を歩くことによって糸状菌に感染し一～二週間後に死亡します。一般的な化学殺虫剤のように散布したら即座に虫が死ぬ訳ではなく、あらかじめカミキリムシが通る場所にしかける必要があります。

ゴマダラカミキリの雌成虫はミカンの木の主幹部の地上三〇〜五〇センチメートルの範囲に産卵することが多いです。また、樹内を食害して成長した幼虫が翌年に新成虫となって羽化する場所もこの付近です。そこで、卵を産みに来る雌成虫と新しく羽化する成虫を狙ってバイオリサはミカンの木の根元付近に設置するのが効果的です（写真9）。

写真9　施用されたバイオリサと羽化脱出直前のゴマダラカミキリ（円内）

バイオリサは産卵のためにやってきた雌成虫をその場で殺すことはできません。産卵にやってくる雌成虫が別の場所で感染した個体であれば産卵を防止できます。そのため、バイオリサは一カ所だけに施用するのではなく地域全体で広範囲に施用しなければ効果は望めません。また、ゴマダラカミキリの雌成虫は羽化した後に卵巣が成熟するまで約一〇日間の産卵前期間があります。したがって、羽化直後の雌成虫が感染すれば産卵をほぼ一〇〇％防止できます。

一方、バイオリサの効果は約一カ月間、持続します。喜界島のゴマダラカミキリは五月一日に羽化し始めて七割以上は五月中に羽化します。このため、五月初めにバイオリサを施用すれば大部分の個体に感染させることが可能になります。逆に六月以降に羽化する個体に対する効果はほとんど期待できません。したがって数年間は継続して施用する必要があります。

二〇一二年から大朝戸・西目地区の約二五ヘクタールの範囲でバイオリサを広域に一斉施用する実験を行ったところ、三年間で顕著な効果が得られました。効果が得られた要因として、①施用位置が適切、②広域に一斉施用、③施用時期が適切、が挙げられます。

そこで喜界町ではさらに規模を拡大し二〇一五年から二〇一九年まで喜界島のミカンの木全部にバイオリサを施用する事業を開始しました。喜界島全体のミカンの木は経済栽培園と庭木を含めて約四・八万本と推定されました。喜界町ではバイオリサの購入費に加え、自力でバイオリサを施用できない方々に代わって施用する費用を確保してこの事業に臨みました。

庭木の所有者は高齢者が多く、施用作業は負担になります。現場の状況に応じた喜界町の細やかな施策と言えます。喜界島の面積は五六・九三平方キロメートルで、従来の広域施用の最大である八ヘクタールの七三二倍の規模です。何よりも島全体に及ぶ大規模な取り組みは世界でも類を見ません。

島全体の広域施用を開始した二〇一五年から志戸桶《しとおけ》、大朝戸、荒木《あらき》、花良治の四地区に定点調査園を設けてゴマダラカミキリの発生状況を追跡しました。その結果、大朝戸、荒木、花良治地区ではゴマダラカミキリの発生はほとんど認められなくなりました。その一方で、島北部の志戸桶地区では、発生が続いています。この要因については調査中です。

喜界島にはケラジミカンや喜界ミカンなど種々の「島ミカン」が植栽されています。ゴマダラカミキリの被害を放置していれば、これらの「島ミカン」が消えていくことも懸念されました。バイオリサは「島ミカン」を守るという点でも貢献しています。

10　熱帯果樹の魅力

香西直子（鹿児島大学農学部）

冬の寒さを知る私たちは、「熱帯」という非日常な響きに特別なものを感じますが、熱帯果樹は最近、身近なものになりつつあります。マンゴーは夏の贈り物というイメージが定着し、かき氷やケーキのトッピングとしてもよく見るようになりました。アボカドも、その食味や使い方が理解されるようになり、サラダやサンドイッチには定番の具材となっています。しかし残念なのは、マンゴーにしてもアボカドにしても、その多くを輸入しているということです。二〇一九年のマンゴー輸入量は約七三〇〇トンであり、アボカドでは約七万七〇〇〇トンでした。

農林水産省の統計によれば、二〇一七年の国内生産量は、マンゴーでは約四〇五〇トンであり、アボカドにいたってはわずか九トンです。私たちがスーパーでよく見かけるアボカドは、おそらくすべて輸入品です。国産のアボカドがスーパーに並ぶことはほとんどありません。マンゴーでは栽培技術が向上して生産量は増えていますが、それでもスーパーで売られることはあまりありません。非日常で少し前まで変わり者扱いされてきた熱帯果樹は、日本での市民権を得たものの、国内生産量は極めて少ないのです。

九州南部に位置する鹿児島県は、温暖な気候のため、本土地方でもアボカドやパッションフルーツなど熱帯果樹の露地栽培が可能です。島嶼部である大島地域では、熱帯果樹の栽培はさらに盛んです。二〇一七年の鹿児島県のマンゴー生産量は、四八八トンで全国第三位、パッションフルーツの生産量は三二一トンで全国第一位でした。

そのいずれも、約六割が大島地域で生産されています。大島地域ではその他にもパパイヤ（二七六トン）、バナナ（七八トン）、ピタヤ（ドラゴンフルーツ）（五〇トン）、アテモヤ（七・六トン）なども生産されています。本土地方以北でこれらの熱帯果樹を栽培する場合、冬季に暖房する加温施設栽培が主流ですが、大島地域ではほとんどが無加温の施設で栽培されています。奄美群島は、日本での熱帯果樹栽培の最前線と言っていいでしょう。

熱帯果樹の多くは、花芽が形成されるためには低温に遭遇する必要があります。花芽が形成されなければ果実生産はできません。そのため、いかにして安定して花を咲かせるかが、生産過程におけるもっとも重要なポイントとなります。冬に寒すぎると樹体そのものが枯死しますし、暖かすぎると花芽が着きません。マンゴーは一五度程度、ライチは品種によりますが、一〇度程度の低温に遭遇しないと安定して花芽が着生しません。冬季（一～二月）の最低気温が一〇～一三度程度である奄美大島は、多くの熱帯・亜熱帯果樹にとって「花を咲かせやすい」環境なのです。

ところでアボカドは、雄花と雌花を別々の時間帯に咲かせる雌雄異熟性という特性を持ちます。雄花と雌花の開花パターンは品種によって異なるため、うまい具合に開花時間が重なるような品種を選択し混植しなければなりません。ところが、実は、相性のいい品種を選んで植えたはずなのに結実しないという問題が起こっています。その原因の一つは気温です。

アボカドの開花時間は、低温によって大きく狂い、昼間に雌花が咲くはずの品種でも、その開花時間は夜にずれ込むことがあります。夜になると送粉するはずの昆虫は活動せず、暗い時間帯では人工受粉も困難になります。そうすると、アボカドにとっては受粉の機会がぐっと減ります。

写真10　夜8時ごろに開花しているアボカド雌花。この日の雌花は夕方5時ごろに開き始め、深夜0時ごろに閉じた（鹿児島大学郡元キャンパスで撮影）

アボカドはもともと、一つの花房に数百の花を咲かせても結実するのはわずか数個という、結実率が非常に低いことが問題視されている果樹ですが、雌花が咲く時間帯が夜中になってしまう環境では、その確率はますます低くなるのです。そしてこのように開花時間がずれる現象は、鹿児島県本土地域では頻繁に観察されています（写真10）。温暖な奄美地域の産地でのアボカド安定生産が期待されます。

11　ボタンボウフウ—可能性と課題—

志水勝好（鹿児島大学農学部）

奄美大島の美しい海を見ながら岩場を歩くと、長命草とも呼ばれるボタンボウフウ（*Peucedanum*

japonicum）が自生しているのを見ることができます（写真11）。ボタンボウフウは不思議な植物で土や砂地で自生する場合もありますが、概して岩の隙間などに葉を広げています。そのため調査の時はまず岩場に目が行きます。その方が見つけ易いからです。そしていつも思うのは、なぜこのような栄養分はもちろん土や水分もほとんどないところで発芽して生育できるのかということです。

写真11　奄美大島の海岸の岩に自生するボタンボウフウ

ボタンボウフウはセリ科カワラボウフウ属の多年草です。南九州を中心に鹿児島県島嶼部や沖縄県の海岸の岩場に自生しているとされており、一般的に長命草と呼ばれてきました。ボタンボウフウの植物体にはビタミンC、βカロテン、ルテイン、ポリフェノールが豊富に含まれ、多様な抗酸化成分を豊富に含む野菜であることが報告されています。また、イソサミジンという機能性成分が含まれ、排尿阻害の新素材として注目されています。加えて、下肢のむくみを改善する効果が報告されています。

ボタンボウフウは野菜として食されるほか、乾燥、粉砕して、粉末として販売されています。二〇〇〇年に瀬尾・堀田氏がボタンボウフウをボタンボウフウ（狭義）、ナンゴクボタンボウフウ（*P.japonicum* var. *australe*）およびコダチボタンボウフウ（*P.japonicum* var. *latifolium*）に分類できることを報告しました。コダチボタンボウフウは葉が大きく、草高も大きいので見分けやすいですが、ボタンボウフウ（狭義）とナンゴクボタンボウフウは草姿や葉の大きさが同じくらいで、その中間のような形態のものもあり、見分けづらいです。

ボタンボウフウは野草のため作物のように栽培するのは難しく、また葉を食用にするため無農薬・有機栽培が求められる場合が多く、栽培に苦労している栽培者の話をよく聞きます。害虫はというと、セリ科なのでキアゲハの幼虫がすぐに現れ、他では見られない特有のカメムシが多数見られます。栽培者泣かせの特筆すべき点は種子の発芽率が著しく低いことです。発芽率が低いため、苗の生産が栽培の障害となっています。発芽率は一般の作物が九〇％以上を示すのに対し、ボタンボウフウは温度を二〇、二五、および三〇度下で発芽試験を行った場合、開始後一カ月でも一〇％を下回るのが普通です。

果たして発芽率を増加させるためにはどうしたらいいのでしょうか？　一年間毎日、実験圃場《ほじょう》で栽培しているコダチボタンボウフウを見続け、ふと株元を見ると、実生が群生しているのが見られたのが秋ででした。夏や冬には見られなかった現象です。発芽試験と何が違うのかと思えば、昼夜温の変化でした。私が行った発芽試験は恒温条件（一定温度条件）でした。これを一二時間ごとに温度を変化させたところ発芽率が増加しました。まだ九〇％にはほど遠いものの苗の増産ができることが期待できるものとなりました。野草の研究は現場での植物の観察が重要で、答えは現場にあることをあらためて痛感した次第です。

コダチボタンボウフウは播種《はしゅ》後三年目に開花し、結実する多年生の植物であると報告されてきました。しかし最近、鹿児島大学内の実験圃場では播種後一年目に開花し、南さつま市でも同様の現象が確認できるようになりました。コダチボタンボウフウは開花すると枯れるため、植え替えなければならず苗不足に拍車をかけることとなります。また花芽ができると葉の形や大きさが変わり、品質が低下するものと思われます。近年暖冬が珍しくなくなり、夏の高温が顕著になってきました。

このような異常気象が自然に自生する植物や露地栽培する作物に大きな影響を与えるのは明らかです。現在は、先の発芽試験に加え、なぜ一年目に開花するようになってしまったのか、そのメカニズムを明らかにするべく学生と試行錯誤しています。

12　薬としても利用される唐辛子

山本宗立（鹿児島大学国際島嶼教育研究センター）

唐辛子（トウガラシ属植物の総称とします）は中南米原産のナス科植物で、奄美群島では島唐辛子やタカノツメなどが香辛料として、ピーマンやシシトウ、パプリカなどが野菜として利用されています。また、奄美大島では果実をサトウキビの酢に漬けた「ピリ辛きびす」や奄美黒糖焼酎に漬けた「黒糖こーれーぐす」、喜界島ではケラジミカンを用いた「花良治胡椒」、徳之島では「にんにくラー油みそ」、与論島では「おにとうがらし」や「おにのソース」が土産物として販売されています。各島における特産品と地場産の唐辛子を組み合わせることで、新たな商品を生み出すことが可能であり、唐辛子には地域振興の一助を担う将来性があります。

さて、香辛料や野菜として利用される唐辛子。実は世界中で薬としても利用されてきました。奄美群島も例外ではありません。そこで、現地調査と文献調査から得られた情報をもとにして、奄美群島における唐辛子の薬用例を紹介するとともに、奄美群島周辺地域での利用方法との類似点・相違点を明らかにしたいと思います。なお、本項に関する詳細な報告については、鹿児島大学生物多様性研究会編『奄美群島の野生植物と栽培植物』（二〇一八年）の第一五章「薬としての唐辛子」をご参照ください。

奄美大島では、唐辛子の果実を焼酎に漬けたものが「その汁を飲むとはらぐすりになる」、「飲むと風邪薬になる」、「足が痙攣するときに塗る」のように内服薬・外用薬として、果実が「腹痛時、薬を飲むようにして果実を飲む」のように腹痛の薬として利用されます。また、徳之島では「胃病のときに果実を焼酎に漬けたものを飲む」、「腹痛時に唐辛子入り卵焼きを食べる」、沖永良部島では「ワタヤミ（腹痛）の時に果実を食べる」、与論島では「健胃に食前粉末を飲む」などの利用方法が知られています。

沖縄島では下痢・歯痛・頭痛・咳・腹痛・二日酔いに、久米島では結膜炎・破傷風に、大神島では湿布・肺病に、石垣島では破傷風に、果実が薬として利用されます。奄美群島との共通点としては、「酒」（蒸留酒）に果実を漬けて薬として利用する点、そして腹痛時に果実を利用する点です。また、沖縄島の「（腹痛時に）唐辛子と卵を混ぜて、焼いて食べる」という事例が徳之島での用法と全く同じであったのは、特筆すべきことでしょう。

台湾原住民族は胸痛・出産・食欲不振・腹痛・二日酔い・蛇咬傷《こうしょう》に果実を薬として用います。腹痛に果実を用いる点、蒸留酒に果実を漬けて薬として利用する点が奄美群島・沖縄県と共通し

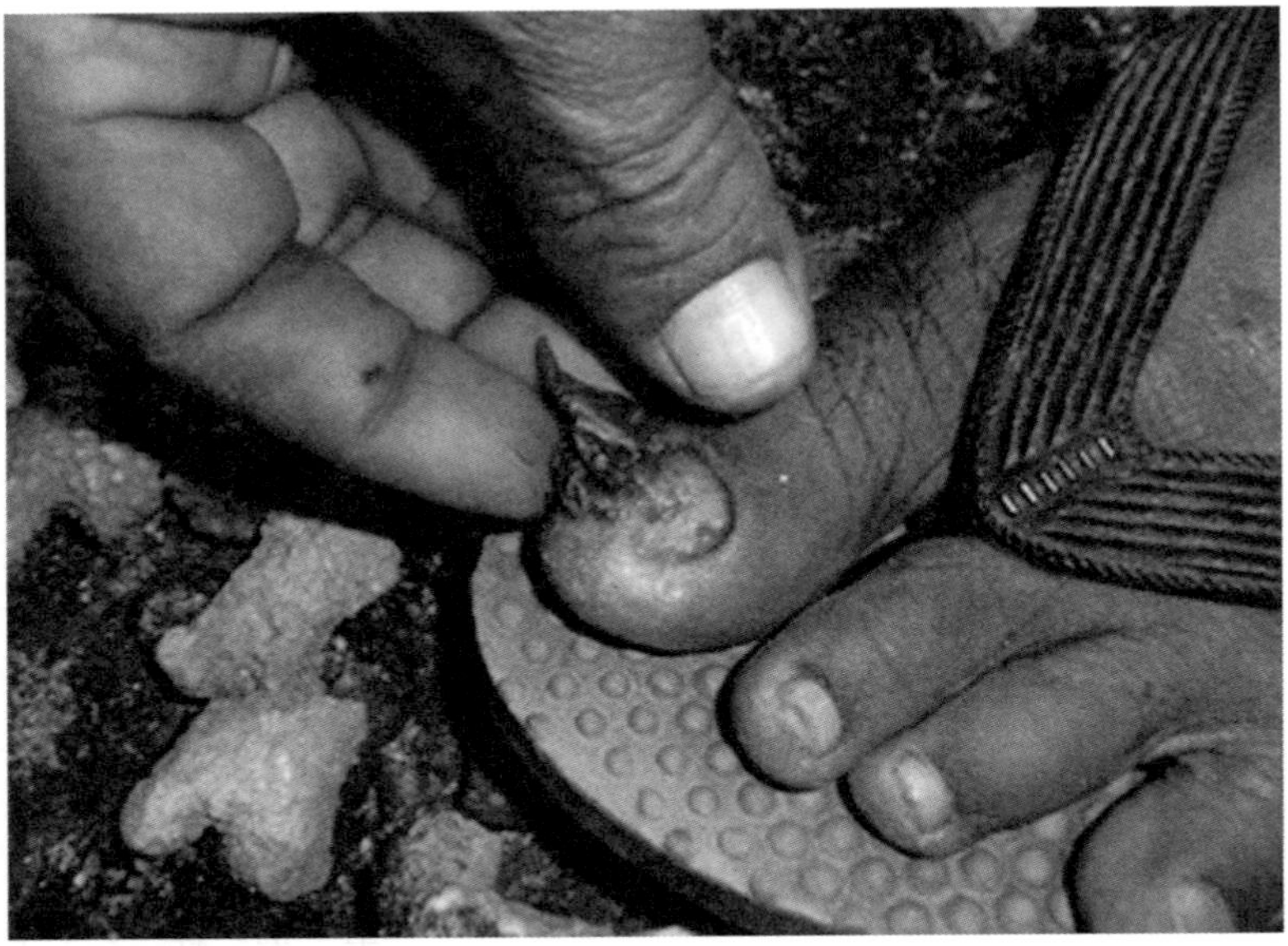

写真 12　唐辛子の葉をもんで傷口に貼る（ミクロネシア連邦ポンペイ州モキール環礁）

ています。一方、一部の台湾原住民族は唐辛子の根を腹痛の薬として利用しており、主に果実のみを薬として用いる奄美群島や沖縄県とは異なります。

ミクロネシア連邦では、果実が関節痛・眼病・駆虫・下痢・歯痛・頭痛・鼻水に、種子が歯痛に、葉が眼病・傷口・止血・耳垂れに、花が難産に、根が傷口に用いられます（写真12）。果実だけではなく、種子、葉、花、根などあらゆる部位を利用している点が奄美群島とは大きく異なります。

奄美群島以北の日本各地では、果実が湿布や風邪薬、滋養強壮に用いられるほか、「寒中食べると温まる」、「果は凍傷薬とする」、「保温には粉末を袋に入れて靴に入れておけば足が温まる」、「しもやけのときは、お湯につけて温め、とうがらしをあてる」のように「寒さ」と関係した用法がみられます。

奄美群島における唐辛子の薬としての利用の特徴を周辺地域と比較して三点あげたいと思います。まず、腹痛時に果実を丸のみにする、果実を食べるとよい、のような利用例は、アジア・オセアニアの幅広い地域で知られています。唐辛子の辛味成分であるカプサイシン類には抗菌・鎮痛作用があります。科学知ではなく経験知によって、下痢や歯痛などへの果実の利用が世界各地で見いだされた可能性があります。

次に、果実を蒸留酒に漬けて薬とする事例は、奄美群島、沖縄県、台湾で確認されました。中国では生薬を酒に漬けた薬酒が古くから利用されており、日本でも江戸時代の本草学の書籍に薬酒が散見されます。果実を蒸留酒に漬けて薬として利用するのは、本草学の影響を受けている可能性があります。

最後に、腹痛時に唐辛子入りの卵焼きを食べるとよいという事例は、奄美群島と沖縄県のみで確認されたため、奄美・沖縄に固有ともいえる用法なのかもしれません。ただし、非常に用法が似ているため、片方の地域からもう一方の地域へ利用方法が伝わった可能性を考えておく必要があるでしょう。

Ⅲ　水産業

1　魚は「島の宝」

鳥居享司（鹿児島大学水産学部）

一般に、島の周辺には水産資源が豊富に存在しますが、島の市場規模は小さいです。漁獲された水産物の全てを島内で消費できないことから、奄美群島では鹿児島県本土や沖縄県への出荷が行われてきました。奄振事業により運賃の補助があるとはいえ、島外出荷には少なからず労力と費用が必要とされます。時間をかけて運ばれた水産物は、漁獲から時間がたっていることから、市場価格は低位に留まることも多いです。つまり、費用をかけて島外へ出荷しても、鮮度劣化による価格下落に直面するという二重の課題に直面する、それが奄美群島を含む、離島地域の漁業の特徴です。

しかし、科学技術の発展は、こうした離島漁業が抱える不利性の一部を緩和できる可能性があります。その代表的な例が、急速冷凍技術です。リキッド凍結、プロトン凍結などいくつかの技術がありますが、共通するのは、鮮度の良い魚介類を冷凍して適切な方法で解凍すれば「生鮮に近い」食味を得られるという点です。長時間輸送による鮮度劣化を食い止めることができるため、離島地域での導入が相次いでいます。奄美群島やトカラ列島においても、急速冷凍機の導入と製品づくりの取り組みがはじまっています。

では、冷凍機の導入により、島の漁業は元気を取り戻すことができるのでしょうか。残念ながらその答えは「ノー」です。

冷凍機の導入によって、品質の高い「製品」を作ることには成功しましたが、それを「商品」としてどこへ販売するのかといった最終的な出口がみつからない取り組みが多いのです。漁業者は、インターネットを用いた直売、各種商談会への参加などに力を注いでいますが、十分な販路を確保できるケースは多くありません。漁協の販売力に期待したいものの、近年の漁協経営は非常に厳しく、島外の飲食店や量販店へ個々に営業をかける余裕は漁協にはありません。出口がなければ、「製品」は在庫として冷凍庫に積み上がることになります。単に冷凍機を導入するだけでは、漁業者の利益にならないのです。

そこで検討したいのが、販売力ある民間企業との連携です。つまり、獲る専門家（漁業者）と売る専門家（民間業者）、それぞれの得意分野を活かして、良質な「製品」を優れた「商品」として需要者に販売するという関係づくりです。実際に、生産者と民間企業との連携は、鹿児島県内の離島においても進展しつつあります。十島村の中之島では、高鮮度な漁獲物を急速冷凍して、県内企業が販売役を担うという関係が構築されており、民間業者は重要な出荷先の一つとして位置づけられています。そして、こうした関係づくりは与論島や甑島列島へも広がろうとしています。

島外の出荷のみに傾倒するのではなく、島内市場の開拓もすすめたいところです。島内の量販店、飲食店、宿泊施設などにおいてどのような魚介類が取り扱われているのでしょうか。島内産の水産物が入り込む余地はないのでしょうか。輸入サーモンや輸入サバも美味しいですが、それ以上に旨い魚介類が奄美群島にはあります(写真13)。一つ一つのお店の需要は限られていますが、積み重なればそれなりの量になる可能性はあります。生産者側の積極的な情報提供に期待したいと思います。

ＬＣＣの就航、クルーズ船の寄港などによって奄美群島の入り込み観光客数は増加傾向にあります。さらに世界遺産登録に向けた動きも本格化しています。新型コロナウイルスの影響でこうした動きにストップがかかりましたが、コロナ禍が終息すれば、再び多くの観光客が来島するで

写真 13　奄美群島から漁業が消えれば地魚の刺身は食べられなくなる

しょう。これらの観光客を惹きつけるのは奄美群島の自然、文化、人、そして「食」ではないでしょうか。

奄美群島周辺では、色とりどりの魚が毎日のように水揚げされます。その鮮度を落とすことなく、民間業者の販売力も活用しながら、島外市場の開拓をすすめたい。生産側と飲食店が連携しながら、奄美群島を訪れる観光客へ地魚をふんだんに提供したい。観光客の胃袋を魚でぎゅっと掴み、奄美のファンを倍増させたい。奄美群島の魚はそれだけの価値と可能性をもつ「島の宝」なのですから。

2　誇るべき深海の高級魚

大富　潤（鹿児島大学水産学部）

奄美といえば、…鶏飯に塩豚、奄美黒糖焼酎？　やはり農畜産物でしょうか。「鹿児島県は水産県？　それとも農畜産県？」と問えば、九割くらいの方が農畜産県と返答されます。漁業就業者数や海面漁業生産量、同生産額は四七都道府県の中でいずれも上位に位置するのに、県民の意識の中になぜ「水産」がないのでしょうか？

少なくとも二つの理由があると思います。一つ目は、県内の漁港に水揚げされる魚種の多くを多獲性浮魚類が占めていること。多獲性浮魚類とは、簡単に言えば「まとまって獲られる遊泳能力の高い回遊性の魚類」で、マグロ、カツオ、ソウダガツオの仲間、アジ、サバ、イワシなどのことです。これらはいわば〝どこにでもいる魚〟で、地域特異性に欠けるのです。

「どこどこで、なになにを食べる」というのは食の魅力の一つです。「ケガニを食べに北海道に行こう」、「マアナゴは瀬戸内海か東京湾、いや長崎県の対馬もいい」、「北陸のノロゲンゲ（ご存じでしょうか？）も乙だね」などという会話は実に楽しいですよね。しかし、さすがに「カツオは

〝鹿児島県の魚〟だろう」と思いきや、消費量がずば抜けて多いのは高知県。全国平均の約五倍を食べています。当の鹿児島県は全国平均を下回る年が多いのが現状です。アジ、サバ、イワシもほぼ全国で獲られる魚。マグロにいたっては大洋を広く回遊しています。これらはどれも鹿児島ならではの魚ではありません。

二つ目の理由は、鹿児島県民があまり魚を食べないことです。鹿児島県は魚介類の生産量では上位に位置しますが、消費量は下から数本の指に入ります。〝魚を獲るけど食べない県〟なのです。また、私たちの調査では認知度の低い魚種ほど食される頻度も低いというデータが得られています。つまり、スーパーに出かけて鮮魚コーナーをのぞいても、知らない魚は決してカゴには入れないのが鹿児島県民と言っていいわけです。それゆえ、これぞ鹿児島という魚種の開拓への執着も望めません。

しかし、鹿児島県の漁場はとても広く、南北六〇〇キロメートルにわたります。その中で、奄美群島周辺の海は深く、海底には曽根（海底から突き出た瀬）が点在します。海流が曽根に当たると上向きの流れが生じ、上層と下層の水が交じることで植物プランクトンの繁殖が促されます。順次、食物連鎖によって大型魚が集まり、好漁場が形成されるのです。

島嶼域には、水揚げ後の水産物の流通が困難というデメリットがある一方、凹凸のある海底地

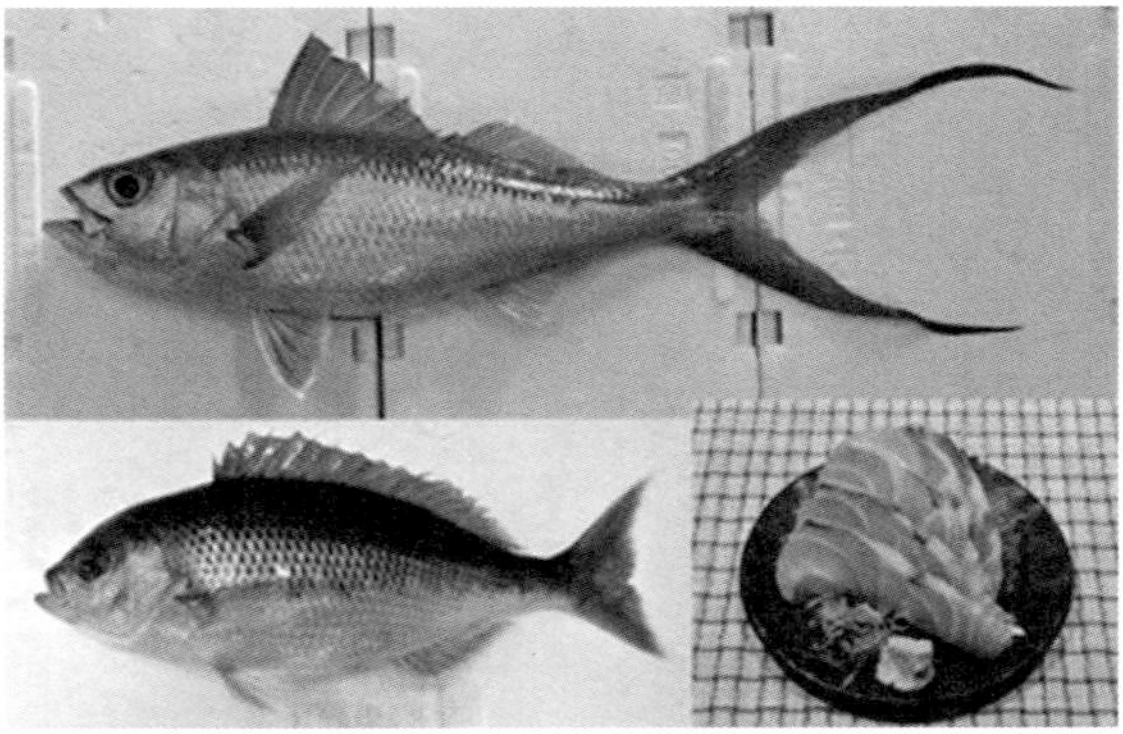

写真14　曽根が漁場のハマダイ（上）とアオダイ（左下）、右下はハマダイの刺身

形により秀逸な漁場が形成されるというメリットもあります。曽根の周辺では網漁業が困難なため、一本釣りが中心となります。主対象種は深海性フエダイ科。「マチ類」と称される魚類で、どれも高級魚です。

水産物は本来、獲られる場所で獲られるものを獲られる時季に食べる地産地消が基本でした。残念ながら鹿児島県内での魚介類消費が思わしくない状況のもと、マチ類の大半は県外へ送られますが、それでも奄美を代表する誇るべき地魚です。

まずは、鮮やかな赤い体に長い尾びれが特徴のハマダイ（写真14）。奄美群島で「あかまつ」、県本土で「ちびき」、東京では「おなが」と呼ばれ、大きいものは全長一メートルを超えます。スジアラ（はーじん）、シロクラベラ（まくぶ）とともに奄美の三大高級魚とされる魚です。

次に、アオダイ。奄美群島では「おーうんぎゃるまつ」、県本土では「ほた」と呼ばれる全長五〇センチメートルほどの青い魚。もともとはハマダイの外道（副産物）でしたが、今では高級魚の仲間入りをしました。他にも、ヒメダイ（いなご）、オオヒメ（くろまつ）などがいます。

これらはどれも上品な白身の魚で、刺身がお勧めです。数日熟成させればさらに甘みが増し、しなやかな食感になります。中でも脂ののったハマダイは極上。もちろん、火を通した料理でもおいしくいただけます。寒い時季なら鍋もいいですね。

近年、マチ類の水揚げ量は低迷しています。資源の回復は大きな課題ですが、漁に出る漁業者の数が激減しているのも一因です。漁船漁業の後継者を絶やしてはいけません。漁業を魅力ある産業にするために、地魚の消費量アップが欠かせません。

3　数えきれない海の幸

大富　潤（鹿児島大学水産学部）

本場奄美大島紬の生産には、地元の海の恵みが欠かせません。伝統的に「ふのり」や「いぎす」と呼ばれる海藻が使われています。ふのりを「布海苔」や「布糊」と書くのも納得ですね。海藻の仲間には、煮詰めると糊状《のり》になるものがあります。「てんぐさ」（マクサやオバクサ）で作る寒天もそれを利用したものですが、ふのりは粘着力が弱く、紬の仕上げの糊付けに最適のようです。

島の人たちにとって身近な存在であるふのりは、もちろん食用にもされてきました。伝統料理に「ふのりだき」があります。私が奄美大島を訪れた際に、わざわざ知人が作ってくれました。使うふのりは、標準和名ハナフノリ。現代風にアレンジしたとのことでしたが、干し椎茸で取っただし汁としょうゆで味を整え、ツナ缶やミックスベジタブルなどとともに乾燥ハナフノリを煮詰め、容器に入れて一晩、冷蔵庫で冷やして出来上がり。磯の香りが濃く、独特の食感が印象的な素朴な料理です。

私はこれまでに、暖海性種を中心に一二〇〇種を超える魚介類を食べてきました。水産業の活性化のため、一人でも多くの人に一種類でも多くの地魚を食べてもらおうと魚食普及に努めていますが、まずは自分が食べなければ説得力がないからです。その中には奄美群島で獲られる魚種も少なからず含まれます。

「南国のカラフルな魚っておいしいの？」。そう思う人は多いでしょう。私も最初はそうでした。代表格は、奄美群島で「えらぶち」と称されるブダイ科魚類ではないでしょうか。日本近海には三〇種以上が生息しており、雌雄で体の色や形が異なる種がほとんどです。私が最初に食べたのは、ブチブダイの湯引きでした。一切れ食べただけでマイナスイメージが消えたのを覚えています。ブダイの仲間はソテーやムニエル、から揚げなど、油を使った料理にもよく合います。

ブダイ科には、アオブダイという水揚げが禁止されている種がいます。パリトキシンという加熱しても分解されない強い毒を内臓に含んでいる個体がいるためです。奄美群島にはナンヨウブダイが多く、体が青いためアオブダイと混同されやすいのですが、こちらは無毒でおいしい魚なのでお間違いなく。

青い魚の次は赤い魚。「ぐるくん」を知る人は多いでしょう。しかし、「ぐるくん」は沖縄県での呼び名で、奄美群島では「かぶくや」あるいは「あかうるめ」、「はーうるめ」と呼んでいます。タカサゴ、ニセタカサゴ、クマササハナムロなど、複数種の総称です。生きている時は必ずしも赤くはないですが、水揚げ時には赤くなっているものが多いです。から揚げや塩焼きで食される人気の魚で、刺身もくせがなくおいしいです。

「ひき」をご存じでしょうか？　奄美群島ではスズメダイの仲間をそう呼んでいます。横じま模様のスズメダイは「あやびき」。オヤビッチャやロクセンスズメダイなど、リポーターが南の海を訪れるテレビ番組の潜水シーンで定番のごとく現れる〝しましまの魚〟です。脂ののりがよく、実はおいしい魚なのです。そして、なんといっても「ずーずるびき」。「しっぽの白いスズ

写真15　春が旬のアマミスズメダイ（ずーずるびき）の煮付け

メダイ」という意味で、標準和名はずばりアマミスズメダイ。この魚の春の産卵期が待ち遠しい島民は多いはずです。たっぷり入った真子（卵巣）、そして甘い肝が楽しめるからです（写真15）。

奄美群島にはウニもいます。ウニといえば北海道のエゾバフンウニやキタムラサキウニ、九州本土のアカウニが極上とされますが、南の海にもウニがいるのです。「がしつ」（実際の発音は少々異なります）と呼ばれるシラヒゲウニです。素潜り漁で獲る夏限定のウニで、青い空の下、白いビーチにテントを張り、獲ったその場で〝中身〟を取り出す作業風景は奄美の夏の風物詩。ミョウバンを使わずそのままプラスチックのボトルに詰めて出荷します。そのため日持ちがしませんが、ウニそのものの味が楽しめます。島外にはほとんど出回らない、島限定の海の幸です。とはいうものの、近年、奄美群島のシラヒゲウニはめっきり少なくなりました。心配でなりません。

その他にも、フエフキダイの仲間、ヒトヅラハリセンボンにイシガキフグ、カノコイセエビにシマイセエビ、ミナミゾウリエビ、ヤコウガイ、チョウセンサザエ、ワモンダコ、コブシメ、ヒトエグサ…。挙げるときりがありません。

多種多様な奄美の海の幸。それを目当てに多くの人が奄美群島を訪れることを願って止みません。活性化の鍵は海にあります。

Ⅳ　おわりに

奄美群島の農業・水産業の現況について、全てをカバーできていないことは重々承知のうえで、おおまかに紹介できたのではないかと思います。本書を通して明らかになった奄美群島の農業と水産業に共通する長所・課題・解決策などをまとめてみたいと思います。

まず、「島の宝」です。コウシャマン、カンキツ類、島大根、イネ、雑穀類など、奄美群島には様々な作物の在来品種があります。これらは、食料としてのみならず、遺伝資源としてもとても価値が高いです。また、ハマダイ、アオダイ、ブチブダイ、タカサゴ、アマミスズメダイ、シマイセエビ、ヤコウガイ、シラヒゲウニ、海藻類など、奄美群島の周辺には多種多様な「海の幸」も豊富に存在しています。在来品種をどのように維持していくのか、特定の水産資源の減少をどのように回復していくのかなどが今後の課題といえるでしょう。

次に、島ならではの不利な条件です。例えば、輸送コストの高い点が農業と水産業に共通しています。しかし、作物については他の産地が出荷できない時期（端境期）に出荷することにより輸送面の不利性を回避したり、水産物については急速冷凍技術を導入して長時間輸送による鮮度劣化を食い止めたりと様々な取り組みがなされています。今後は、高付加価値化（ＰＲを含む）や販売力のある民間企業との連携などをより一層推進していく必要がありそうです。また、各産業の域を超えて協同することにより、より効果的な解決策が見つかるかもしれません。

そして、新たな「島の宝」の発掘です。奄美群島は日本での熱帯果樹栽培の最前線のようですし、様々な機能性成分を含むボタンボウフウにも将来性がありそうです。もともとはハマダイの外道（副産物）だったアオダイが今では高級魚の仲間入りをしているように、ポテンシャルのある（あるいは未利用の）水産資源が奄美群島にはたくさん眠っている可能性があります。奄美群島の皆様が日々当たり前のように食している作物・野草・水産物などを再度見つめなおすことも、新たな「島の宝」の発見につながるかもしれません。

（編者）

V　参考文献

大富　潤『九州発食べる地魚図鑑　母なる海の恵みを味わう』南方新社、二〇一一年
大富　潤『魚食ファイル　旬を味わう』南方新社、二〇一三年
鹿児島大学重点領域研究「水」グループ編『鹿児島の水を追いかけて』南方新社、二〇一九年
鹿児島大学生物多様性研究会編『奄美群島の外来生物　生態系・健康・農林水産業への脅威』南方新社、二〇一七年
鹿児島大学生物多様性研究会編『奄美群島の野生植物と栽培植物』南方新社、二〇一八年
佐藤洋一郎『稲のきた道』裳華房、一九九二年
菅　洋『育種の原点　バイテク時代に問う』農山漁村文化協会、一九八七年
中尾佐助『栽培植物と農耕の起源』岩波書店、一九六六年
日本果樹種苗協会編『特産のくだもの　たんかん・くねんぼ』日本果樹種苗協会、一九九四年
日本果樹種苗協会編『特産のくだもの　マンダリン類1　ケラジ・カブチー等』日本果樹種苗協会、一九九五年

日本離島センター編『SHIMADAS（シマダス）』日本離島センター、二〇一九年
山本宗立『唐辛子に旅して』北斗書房、二〇一九年
米本仁巳『新特産シリーズ　アボカド　露地でつくれる熱帯果樹の栽培と利用』農山漁村文化協会、二〇〇七年
離島振興30年史編纂委員会編『離島振興三十年史　上巻』全国離島振興協議会、一九八九年
離島振興30年史編纂委員会編『離島振興三十年史　下巻』全国離島振興協議会、一九九〇年

刊行の辞

鹿児島大学は、本土最南端に位置する総合大学として、伝統的に南方地域の研究に熱心に取り組み、多くの研究に成果をあげてきました。そのような伝統を基に、国際島嶼教育研究センターは鹿児島大学憲章に基づき、「鹿児島県島嶼域～アジア・太平洋島嶼域」における鹿児島大学の教育および研究戦略のコアとしての役割を果たす施設として、将来的には、国内外の教育・研究者が集結可能で情報発信力のある全国共同利用・共同研究施設としての発展を目指しています。

国際島嶼教育研究センターの歴史の始まりは、昭和五六年から七年間存続した南方海域研究センターで、その後昭和六三年から一〇年間存続した南太平洋海域研究センター、そして平成一〇年から一二年間存続した多島圏研究センターです。平成二二年四月に多島圏研究センターから改組され、現在、国際島嶼教育研究センターとして鹿児島県島嶼からアジア太平洋島嶼部を対象に教育研究を行っています。

鹿児島県島嶼を含むアジア太平洋島嶼部では、現在、環境問題、環境保全、領土問題、持続的発展など多岐にわたる課題や問題が多く存在します。国際島嶼教育研究センターは、このような問題に対して、文理融合的かつ分野横断的なアプローチで教育研究を推進してきました。現在までの多くの成果が様々な学問分野の発展に貢献してきましたが、今後は高校生、大学生などの将来の人材への育成や一般の方への知の還元をめざしていきたいと考えています。この目的への第一歩が鹿児島大学島嶼研ブックレットの出版です。本ブックレットが多くの方の手元に届き、島嶼の発展の一翼を担えれば幸いです。

二〇一五年三月

国際島嶼教育研究センター長

河合　渓

〔編者〕

山本　宗立（やまもと　そうた）

［略　　歴］

1980年三重県生まれ。京都大学大学院農学研究科博士課程修了、博士（農学）。2010年より鹿児島大学国際島嶼教育研究センター准教授。専門は民族植物学・熱帯農学。

［主要著書］

『ミクロネシア学ことはじめ　魅惑のピス島編』（南方新社、2017年、共編著）、『ミクロネシア学ことはじめ　絶海の孤島ピンゲラップ島編』（南方新社、2019年、共編著）、『唐辛子に旅して』（北斗書房、2019年）など。

高宮　広士（たかみや　ひろと）

［略　　歴］

1959年沖縄県生まれ。University of California, Los Angeles（UCLA）博士課程修了 Ph.D.in Anthropology。2015年より鹿児島大学国際島嶼教育研究センター教授。専門は先史人類学。

［主要著書］

『琉球列島先史・原史時代における環境と文化の変遷に関する実証的研究研究論文集第１・２集』（六一書房、2014年、共編著）、『奄美・沖縄諸島先史学の最前線』（南方新社、2018年、編著）、『奇跡の島々の先史学　琉球列島先史・原史時代の島嶼文明』（ボーダーインク、2021年）など。

鹿児島大学島嶼研ブックレット　No.16

魅惑の島々、奄美群島－農業・水産業編－

2021年3月22日　第1版第1刷発行

発行者　鹿児島大学国際島嶼教育研究センター
発行所　北斗書房

〒132-0024　東京都江戸川区一之江8の3の2（MMビル）
電話 03-3674-5241　FAX03-3674-5244
URL　Http//www.gyokyo.co.jp

定価は表紙に表示してあります

ISBN978-4-89290-058-7 C0039